Aqueste libe qu'a podut paréisher dab l'ajuda deu Conselh regionau d'Aquitània e deu Conselh departamentau deus Pirenèus Atlantics.

1^{èra} de cubèrta, amontanhada de l'aulhada de Xavier Cazette e Marie-Claire Hondagneu dab André Hondagneu, La Pèira Sent-Martin, junh de 2019.
1ère de couverture, montée en estive du troupeau de Xavier Cazette et Marie-Claire Hondagneu avec André Hondagneu, La Pierre Saint-Martin, juin 2019.

L'An de Aulhèr

(L'année du berger)

Denis Frossard

Escòla Gaston Febus

Neuridors e aulhèrs encontrats dens las vaths de Varetons, Aspa, Aussau e Ozom

Xavier Cazette, Précilhon, Barétous

Jean-François Casaux, Aramits, Barétous

Éric Gutierrez, Lescun, Aspe

Danièle Gay, Lescun, Aspe

Marie-Claire Hondagneu, Précilhon, Barétous

John Kneppers, Aramits, Barétous

Dominique Cauhapé, Lescun, Aspe

Jean-Pierre Pouey, Lescun, Aspe

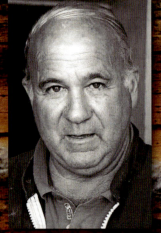

André Hondagneu, Arette, Barétous

Julien Pouey, Arette, Barétous

Morgane Gamerre, Lescun, Aspe

Falco Gutierez, Lescun, Aspe

Bernard Cauhapé, Lescun, As

Éleveurs et bergers rencontrés dans les vallées du Barétous, d'Aspe, Ossau et Ouzoum

André Casassus, Gère-Bélesten, Ossau

Diego Lasierra, Gère-Bélesten, Ossau

Patrick Darbary, Gère-Bélesten, Ossau

Sébastien Bernatas, Igon, Ouzoum

Rémy Baylocq, Bilhères en Ossau

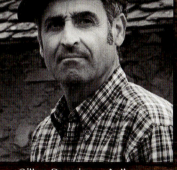

Gilles Penninou, Aulhon

Loïc Darbary, Gère-Bélesten, Ossau

Nathalie Petit-Bonnet, Gère-Bélesten, Ossau

Jean-Bernard et Sophie Bernatas, Igon, Ouzoum

Isabelle Vacosait, Bilhères en Ossau

Fabien Prénéol, Bilhères en Ossau

Florent Casassus, Gère-Bélesten, Ossau

Geneviève et Gilles Delas, Herrère, Ossau

En compagnie des bergers

Chaque année, fin mai, début juin, la montagne se réveille. Elle ouvre les plis de ses cimes pour accueillir les troupeaux de basco-béarnaises qui « *amontagnent* », dans les bêlements, le chant des sonnailles, le chapelet de crottes qui s'étale comme des réglisses et décore le sentier comme pour mieux le fertiliser, dans cette rumeur de pattes qui avance pour gagner les premières estives, après plusieurs heures, voire plusieurs jours de marche à travers toute la vallée, souvent de nuit, pour monter dans leurs quartiers d'été, dans lesquels ils resteront jusqu'aux premières grosses neiges de fin septembre ou de début octobre.

Voilà l'atmosphère dans laquelle nous entraînent les belles photos de Denis Frossard qui a suivi durant cinq ans une trentaine de bergers et éleveurs des vallées de Barétous, Aspe, Ossau et Ouzoum. L'idée de ce travail photographique est née lors d'une discussion entre Denis et Jean-François Casaux, le président de la fête des bergers d'Aramits. Mais c'est aussi le hasard des rencontres en montagnes qui a fait le reste. « *L'année où les inondations du Valentin ont fait ébouler et fermer la route des Eaux-Bonnes, un troupeau m'est tombé sous la main* », se souvient Denis. Et c'est ainsi qu'il a transhumé sur la Montagne Verte en compagnie de Gilles et Geneviève Delas. C'est ainsi, qu'avec ses 12 kilos de matériel photo sur le dos, il a réussi, une autre fois, à se glisser autour et dans le troupeau d'Ansabère, sans les effrayer, voire mieux en recevant les câlins d'une brebis qui venait se frotter contre lui.

Avec force détails, l'auteur a décidé de compléter le propos en nous montrant tous les beaux colliers gravés, l'insolite montre solaire de berger, et le fidèle compagnon de guidage : le labrit ou le border collie. Ceux-là, il faut les avoir vu réagir au quart de tour en terrain abrupt ou lors d'un concours de chiens de troupeau. Généreux et fidèles, ils sont la main aveugle du berger. Ce duo doit exister depuis la nuit des temps.

C'est ce que confirment certaines études de spécialistes, notamment au cirque d'Anèu en vallée d'Ossau : les hommes montent en estive depuis plus de 7000 ans. Ce fut même un statut dans la société. Jusqu'au XXe siècle, dans le Béarn, la charge de berger fut dévolue aux cadets qui travaillaient, sans solde, à l'entretien et à la prospérité du domaine familial. Célibataires, exilés dans de grandes transhumances, ils redescendaient à l'automne et en hiver jusqu'en Gironde, en passant par les Landes ou le Gers. Depuis une quinzaine d'années, le métier est revenu en grâce. Chaque berger, fier comme un héros antique et applaudi par les touristes ou la population locale, défile avec son serpent d'étoiles, ses stars au profil busqué, aux cornes en spirale autour de l'oreille, et à la filandreuse toison d'argent. Pour s'occuper de 80 000 sujets bêlants, la nouvelle génération compterait sur les vallées béarnaises environ 200 bergers et vachers, dont 15% de femmes, présentant une moyenne d'âge de 40-45 ans.

La suite de l'histoire se déroule dans l'essentielle cabane où ils dorment et fabriquent le fromage. Il y en aurait plus de 150 habitées dans les estives béarnaises. Les « *aulhas* » (brebis) suivront ensuite la course de l'herbe, celle du serpolet, de la fétuque, de la réglisse, de la gentiane et de bien des graminées. Chaque berger portera toute son attention au lait, à la traite manuelle et à sa transformation qu'il faut avoir expérimentées au moins une fois dans sa vie, à travers toutes les étapes : ramassage du caillé, moulage, égouttage, pressage, pose de la marque et de la signature, salage et mise en cave d'affinage pour de longs mois, ici on en fait tout un fromage. Savoureux trésor d'estive ! C'est même une affaire que de choisir le bon saloir ou de donner ses créations à qui les redescendra.

Ce livre est plus qu'un documentaire, c'est la photo artistique du quotidien. J'ai aimé savourer ce ciel d'orage à Ansabère, le passage du troupeau à l'abrupt Pas de l'Osque ou l'ambiance dans la bergerie à Lescun. Cela m'a rappelé tant de tribulations… Ici, Denis Frossard nous raconte toute cette vie pastorale à l'heure où bergers et bergères sont souvent rêvés comme un métier dans le vent des sommets. Alors, partez en voyage au pays des brebis, et ressortez-en couvert de laines et d'odeurs de vieux boucs, et avec sous le bras, une tomme d'estive à déguster ce soir.

Patrice Teisseire-Dufour, reporter à *Pyrénées magazine*

Abansdíser

La vita montanhòla qu'ei ua fiertat que neuridors e aulhèrs non desmenteishen pas sovent quitament se demora luenh deu saunei urban en cèrcas d'espacis grans e de natura. Longtemps considerats com los mau partits, lotjats dens cujalars e dens ua solitud qui n'avèn pas causit, aulhèrs e aulhèras que viven uei dens condicions plan melhoras que los ainats. Idealizada dens las òbras deu cap deu sègle XIX[au] (véder per exemple las de Jean Poueigh), que i demora totun qu'aquesta vita « a l'aire viu » de « l'aulhèr bon » que guarda las soas constrentas au par de hèra d'aspèctes.

Au delà d'ua imatgeria ideau, aqueste libe qu'ensaja en purmèr de har aunor a·us e a las qui viven dens la continuitat d'ua practica pairau (las purmèras eishartigadas que datan haut o baish de 6000 ans), e qui los arradics culturaus e son enqüèra mercats per l'identitat gascona de las vaths biarnesas de capsús.

La vita pastorau e lo hromatge d'aulha que son la pèira clau dab la quau e hesoi lo men triballh fotografic en seguir chic o hèra tretze aulhadas de las vaths de Varetons, Aspa, Aussau e Ozom.

Shens preténder d'aver hèit un triballh exaustiu sus un subjècte que hèra d'autes e tractèn hèra miélher, que mièi meilèu la mia recèrca per la practica artistica de la fotografia aplicada aus aspèctes de la vita pastorau : de las amontanhadas enlà a las anheradas, en passar per la fabricacion deu hromatge, lo salatge, las esquiras, o los concors de cans d'aulhada.

L'etimologia de la fotografia ne ns'engatja pas ad arren, mès qu'aimi d'escríver dab la lutz : las ompras doças de las bòrdas, la frescura de punta d'auba quan ei lo moment de mólher, la duretat deu cèu shens crums qui'vs tana la pèth e los uelhs, la lusor estranha e miaçanta de l'auratge, los trabucs de l'embrum, la patz viva de l'aulhada au cortau...

Qu'èi donc d'ajustar a çò que hèra de fotografes e considèran com ua de las expressions visuaus de las géncers, au par de la quau los mots ne son pas qu'ua maishanta tradida, au miélher un explic reductor ? Que reconeisherèi de bon grat d'aver hèit aqueste triballh en acordar a l'amor de l'art ua recèrca estetica maridada au chepic d'amuishar (tradida ?) o d'escríver dab e mercés a la lutz. Solide que i a quauques legendas, « legendum », « çò qui deu estar lejut »... Que podetz deishar, lo raconte de las fòtos que sufeish, qu'a la soa cronologia, la soa coeréncia, mès tanben... los sons limits que cau acceptar, com dens tot lengatge. Peu còp, daubuns qu'estimaràn lhèu un petit perlongament contextuau, e lhèu lexicau, en balhar ua part modèsta au riquèr deu vocabulari occitan deu Biarn enradigat dens ua ruralitat de las vitècas.

Shens los neuridors e los aulhèrs aqueste libe ne seré pas podut viéner a la lutz, e que'us arremercii pregondament, en pensar tanben a las aulhas qui'm deishèn triballhar au ras d'eras, e aus cans qui m'acompanhèn. Qu'arremercii tanben los qui m'ajudèn a la realizacion, Gilles Penninou per la causida deu vocabulari, Jean-Luc Landi per las soas relecturas pacientas e los sons conselhs de redaccion, l'equipa de las edicions Reclams, mei que mei Maria Javaloyès e Anne-Pierre Darrées peus lors conselhs de mesa en pagina e la correccion de l'ensemble, e Patrice Teisseire-Dufour de *Pyrénées Magazine*, per aver acceptat dab tant d'aimablèr d'escríver lo prefaci.

Avant-propos

La vie en montagne est une fierté qu'éleveurs et bergers démentent rarement même si elle reste loin du rêve urbain en quête de grands espaces et de nature. Longtemps considérés comme les plus mal lotis, logés dans des cabanes et une solitude qu'ils avaient rarement choisies, bergers et bergères vivent aujourd'hui dans de bien meilleures conditions que leurs aînés. Idéalisée dans les ouvrages de la fin du XIXe s (voir notamment ceux de Jean Poueigh), il n'en demeure pas moins que cette « vie au grand air » du « bon berger » conserve ses contraintes à bien des égards.

Au-delà d'une imagerie idéale, ce livre tente d'abord de rendre hommage à ceux et celles qui vivent dans la continuité d'une pratique ancestrale (les premiers défrichements dans les Pyrénées datent d'environ 6000 ans), et dont les racines culturelles sont encore empreintes de l'identité gasconne des hautes vallées béarnaises.

La vie pastorale et le fromage de brebis sont l'élément clé autour duquel j'ai mené mon travail photographique en suivant peu ou prou treize troupeaux du Barétous, d'Aspe, d'Ossau et de l'Ouzoum.

Sans prétendre à un travail exhaustif sur un sujet que beaucoup d'autres ont bien mieux traité, j'ai plutôt guidé ma recherche par la pratique artistique de la photographie appliquée aux aspects essentiels de la vie pastorale : des transhumances aux agnelages, en passant par la fabrication du fromage, le salage, les sonnailles, ou encore les concours de chiens de troupeau.

L'étymologie de la photographie ne nous oblige en rien, mais j'aime écrire avec la lumière : les ombres douces des granges, l'aube fraîche d'altitude au moment de la traite, la dureté d'un ciel sans nuages qui tanne la peau et les yeux, les lueurs étranges et menaçantes de l'orage, les pièges du brouillard, la paix vivante du troupeau en bergerie...

Qu'ai-je donc besoin d'ajouter à ce que beaucoup de photographes considèrent comme une des meilleures expressions visuelles, auprès de laquelle les mots ne sont que piètre trahison, au mieux une explication réductrice ? J'avouerai donc volontiers avoir effectué ce travail en accordant à l'amour de l'art une recherche esthétique mariée au souci de montrer (trahison ?) ou d'écrire avec et grâce à la lumière. Certes, il y a quelques légendes, « legendum », « ce qui doit être lu »... Vous pouvez passer, le récit des photos se suffit, il a sa chronologie, sa cohérence, mais aussi... ses limites qu'il faut accepter, comme dans tout langage. Du coup, certains apprécieront peut-être un petit prolongement contextuel, voire lexical, faisant une part modeste à la richesse du vocabulaire occitan du Béarn enraciné dans une ruralité bien vivante.

Sans les éleveurs et les bergers ce livre n'aurait pu voir le jour, et je les en remercie profondément, en pensant également aux brebis qui m'ont laissé travailler à leurs côtés, et aux chiens qui m'ont accompagné. Je remercie également ceux qui m'ont aidé à la réalisation, Gilles Penninou pour le choix du vocabulaire, Jean-Luc Landi pour ses patientes relectures et ses conseils de rédaction, l'équipe des éditions Reclams, notamment Marie Javaloyes et Anne-Pierre Darrées pour leurs conseils de mise en page et la correction de l'ensemble, et Patrice Teisseire-Dufour de Pyrénées-Magazine *pour avoir accepté avec tant de gentillesse d'écrire la préface.*

D.F.

Amontanhada / Seuda
Montée en estive

Amontanhada de l'aulhada de Gilles e Geneviève Delas de Herrèra, de la Montanha verda enlà de cap tà l'Aubisca, junh de 2018.
Montée du troupeu de Gilles et Geneviève Delas de Hérrère, de la Montagne verte vers l'Aubisque, juin 2018.

La Calhavèra, Montanha de Cuec (Aspa), aulhas de Jean-François Casaux d'Aràmits dab John Kneppers, julhet de 2018.

La Calhabère, Montagne de Couec (Aspe), brebis de Jean-François Cazaux d'Aramits avec John Kneppers, juillet 2018.

Las canaulas que serveishen a ondrar l'aulhada. A man esquèrra la gravadura qu'ei hèita per Elsa Laguna d'Asta-Beon, capvath, la pintrura qu'estó hèita per ua man desbrombada, dab dessenhs au demiei deus mei tipics dens las vaths...

Les colliers servent à orner le troupeau. À gauche la gravure est effectuée par Elsa Laguna d'Aste-Béon, ci-dessous, la peinture a été effectuée par une main oubliée, avec des dessins parmi les plus typiques dans les vallées.

Amontanhada, seuda, transumància Segon la vath, los dus purmèrs mots que designan la pujada tà l'estiva, lo tresau qu'èra emplegat peus mes d'ivèrn passats peus aulhèrs capvath las planas de Gasconha, uei que s'emplega autan plan per la pujada com per la baishada.

Montée en estive, transhumance *Selon la vallée, les deux premiers mots désignent la montée en estive, le troisième était employé pour la période d'hiver passée dans les plaines de Gascogne, aujourd'hui on l'emploie autant pour la montée que la descente.*

Planèr de Cap de pont, capsús Bius Artigas, arriba-da de las aulhadas aussalesas au començar de julhet de cap a 7 òras deu matin, dia e òra ar-restats peu sindicat d'Aussau d'en haut, julhet de 2022.

Plateau de Cap de Pount, au-dessus de Bious Artigues, arrivée des troupeaux ossalois début juillet, vers 7 heures du matin, jour et heure fixés par le syndicat du Haut Ossau, juillet 2022.

Caminar Que n' i a qui son partits deu hons de vath enlà, a còps que'us hè 10 òras de camin pendent la nueit.
Cheminer, marcher *Certains sont partis du fond de la vallée et doivent marcher 10 heures, de nuit.*

◄ Com tots los aulhèrs, Diego qu'aprenó a serví's deu barròt dens los penents, dab l'aulhada d'André Casassus de Gèra-Belesten (Aussau), en pujar tà la plana d'Ibech per cambiar d'estiva, en agost de 2021.

Comme tous les bergers, Diego a appris à se servir du bâton dans les pentes, avec le troupeau d'André Casassus de Gère-Bélesten (Ossau), en montant à la plaine d'Ibech pour changer d'estive, en août 2021.

La mòstra sorelhèra qu'èra enquèra emplegada au començar deu sègle XX[au], que la calè saber manejar de com cau en tiéner compte de l'anar deu só, e en saber plan léger la posicion de l'ompra suus simbèus, coll. J-L Landi, julhet de 2021. ▶

La montre solaire était encore employée au début du XX[è] siècle, il fallait savoir s'en servir comme il faut en tenant compte de la course du soleil, et en sachant lire la position de l'ombre sur les symboles, coll. J-L Landi, juillet 2021.

Penent ambrec Embracs que n'i a, e tanben penents deus beròis.
Pente raide Les raccourcis ne manquent pas, et les belles pentes non plus.

Capvath Pescamon (la Pèira ▶
Sent-Martin) on las aulhas de
Xavier Cazette e Marie-Claire
Hondagneu qu'amontanhan au
mes de junh, l'aulhada que torna
partir après ua estancada, junh
de 2019.

*En-dessous de Pescamou (la Pierre
Saint-Martin) où les brebis de
Xavier Cazette et Marie-Claire
Hondagneu montent au mois de
juin, le troupeau repart après une
pause, juin 2019.*

◀ Lo can pastor «Montanha
Pirenèus» que vadó dens
l'aulhada dab qui a tostemps vis-
cut. Qu'ei lo sol qui poishca har
cap a l'ors o au lop. Qu'ei miélher
de non pas essajar d'acercà's ni
d'eth ni de l'aulhada.

*Le «patou», «Montagne
Pyrénées», est né dans le troupeau
avec qui il a toujours vécu. Il est le
seul à pouvoir tenir tête à l'ours ou
au loup. Ce n'est pas la peine
d'essayer de s'approcher ni de lui,
ni du troupeau.*

Lairar, horrar, horvar, uglar Lo can pastor que'vs significa çò qui'vs demora de har, n'a pas hami de har amigalhas…
Aboyer plus ou moins fort *Le patou vous signifie ce qu'il vous reste à faire, il n'a pas envie de se faire caresser…*

◄ Pagina d'abans, capvath lo Calhavet de Rebec e la Pena de Lapassar capsús Bius Artigas, l'aulhada de Loïc Darbary a pèisher, agost de 2021.
Page précédente, sous le Caillabet de Rebec et le Pène de Lapassa au-dessus de Bious Artigues, le troupeau de Loïc Darbary en train de paître, août 2021.

Lo border collie qu'ei uei lo can mei emplegat. Gump, a man dreta, après la pujada dab l'aulhada de Jean-François Casaux, que senteish un pos de flaquèr qui'u balha la dromidera.
Après ua tempora d'abandon, lo labrit deus Pirenèus que torna dens las aulhadas. Llobeta, a man esquèrra, tres mes e ja declarada, de tant qui mia tot çò qui muda que la cau de quan en quan captiéner, dab Jean-Bernard e Sophie Bernatas.

Le border collie est aujourd'hui le chien le plus employé. Gump, à droite, après la montée avec le troupeau de Jean-François Casaux, sent un coup de fatigue qui le fait un peu somnoler.
Après une période d'abandon, le labrit des Pyrénées revient dans les troupeaux. Lloubette, à gauche, trois mois et déjà déclarée, cherche tellement à mener tout ce qui bouge qu'il faut un peu la contenir, avec Jean-Bernard et Sophie Bernatas.

Declarà's Que's dit d'un can qui amuisha la soa volentat de miar.
Se déclarer *Se dit d'un chien qui manifeste sa volonté de mener.*

20

◀ En estiva, la molhuda a la man que començà de cap a 5 òras, qu'ei seguida per la fabricacion deu hromatge, dab Morgane Gamerre e l'aulhada de Bernard Cauhapé au cujalar d'Ansaba, agost de 2021.

En estive, la traite manuelle commence autour de 5 heures, elle est suivie par la fabrication du fromage, avec Morgane Gamerre et le troupeau de Bernard Cauhapé à la cabane d'Ansabe, août 2021.

Popa, braguèr Que demora de'u plan saber manejar per tirar la lèit.
Pis *Il reste à savoir bien le manier pour tirer le lait.*

25 l. que hèn necèra per ua pèça de 5 kg. ▶
Per desseparar hromatge, calhada, grulh
e leiton, que cau prestir de plan la pasta.
Cujalars d'Ansaba, agost de 2021.

*25 l. sont nécessaires pour une tome de
5 kg. Pour séparer fromage, caillé, greuil et
petit lait, il faut bien presser la pâte.
Cabanes d'Ansabe, août 2021.*

◀ Lo temps d'aprestar la fabricacion, l'aiga
de la hont montanhòla qu'ei pro fresca
per conservar la mescla de la velha e deu
dia dens los pishèrs, banas o ars.

*Le temps de préparer la fabrication, l'eau de
source de la montagne est assez fraîche
pour conserver le mélange de la veille et du
jour dans les bidons.*

Netejar, lavar, secar Lo lòc de
fabricacion que deu demorar tostemps net.
Nettoyer, laver, sécher *Le local de
fabrication reste toujours propre.*

◄ Lo hromatge que vien d'estar premut d'un costat, que'u calerà virar 4 o 5 còps per acabar, dab pes fabricats sia dab pèiras, sia dab marròcs de metau especiaus.

Le fromage vient d'être pressé d'un côté, il faudra le retourner 4 ou 5 fois pour terminer, avec des poids fabriqués soit avec des pierres, soit avec des blocs métalliques spéciaux.

Hèra de saladers de montanha que son com aqueste, hèits dab un clòt o un rehons dens la ròca qui permet de'us guardar en ua temperatura constanta. Salader de la bòrda Hondagneu, Pescamon, La Pèira Sent- Martin, julhet de 2019. ►

Beaucoup de saloirs de montagne sont comme celui-ci, aménagés par un creux ou une cavité dans la roche qui permet de les garder à température constante. Saloir de la ferme Hondagneu, Pescamou, La Pierre Saint-Martin, juillet 2019.

Pasta e crosta que maduran dens aquesta còva en aténer la baishada.
Pâte et croute *murissent dans cet abri sous roche en en attendant la descente.*

Après la molhuda l'aulhada de
Jean-Bernard e Sophie Bernatas
que pòt anar pèisher, que
tornarà pujar drin a drin suus
penents deu som de Granquet,
capsús lo pòrt d'Espandèlas,
julhet de 2021. ▶

*Après la traite le troupeau de
Jean-Bernard et Sophie Bernatas
peut aller paître, il remontera peu
à peu sur les pentes du Soum de
Granquet, au-dessus du col de
Spandelles, juillet 2021 .*

◀ Com ne'u sarran pas las
maishèras, çò qui'u poderé
empachar de neurí's, mossur
marro que podó guardar los
sons còrns sancèrs.

*Comme elles ne lui serrent pas
les joues, ce qui pourrait
l'empêcher de se nourrir,
monsieur le bélier a pu guarder
ses cornes entières.*

Cobrir, marrir Lo tribalh deu marro dens l'aulhada.
Couvrir, saillir *(terme spécifique à partir du nom) Le travail du bélier dans le troupeau.*

◄ Pagina d'abans, los «mammatus» que vienen d'Espanha enlà, que cau avisà's a l'auratge. Las aulhas de Bernard Cauhapé, miadas per Morgane Gamerre, qu'èran jà a l'acès...
Page précédente, les « mammatus » viennent d'Espagne, il faut se méfier de l'orage. Les brebis de Bernard Cauhapé, gardées par Morgane Gamerre, étaient déjà à l'abri...

A man dreta, Fabien Prénéol que torna miar l'aulhada d'Isabelle Vacosait tau cujalar de Cap de Pont, capsús Bius Artigas. A man esquèrra, quan l'aulhada ei capsús, que cau hejar capvath per aprestar l'ivèrn.

À droite, Fabien Prénéol ramène le troupeau d'Isabelle Vacosait à la cabane de Cap de Pount, au-dessus de Bious Artigues. À gauche, quand le troupeau est en haut, il faut fâner en bas pour préparer l'hiver.

Hen, arredalh Lo hen en junh, l'arredalh en julhet, e lhèu un navèth còp en seteme.
Foin, regain *Le foin en juin, le regain en juillet, voire une nouvelle fois en septembre.*

Baishada, Transumància
Descente, Transhumance

Baishada de l'aulhada de Julien Pouey dab Raphaël de la Pèira Sent-Martin enlà de cap tà Areta, seteme de 2018.
Descente du troupeau de Julien Pouey avec Raphaël, de la Pierre Saint-Martin vers Arette, septembre 2018.

La sason que s'acaba, lo temps que pòt vàder lèd. L'aulhada qu'a comprés qu'èra lo moment deu partir, baishada deu pòrt d'Espandèlas enlà tà Aigon, dab Jean-Bernard e Sophie Bernatas, seteme de 2021. ▶

La saison touche à sa fin, le temps peut mal tourner. Le troupeau a compris que c'était le moment du départ, descente du col de Spandelles vers Igon, avec Jean-Bernard et Sophie Bernatas, septembre 2021.

◀ Canaula de hrèisho o de noguèr, clavada dab ua cavilha de husta, tornejada e gravada per Lambert Lanardoune d'Arthez d'Asson.

Collier en frêne ou en noyer, fermé par une cheville en bois, façonné et gravé par Norbert Lanardoune d'Arthez d'Asson.

Miar L'aulhèr que mia, en har estancadas de quan en quan per deishar l'aulhada èisher.
Mener, conduire *Le berger mène, en faisant des pauses de temps en temps pour laisser le troupeau brouter.*

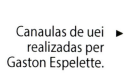

◄ Canaulas d'autes còps
pintradas o pinhadas
per aulhèrs, coll.
Espelette, Montòri,
genèr de 2022.

*Colliers d'autrefois
peints ou gravés
au couteau par
des bergers, coll.
Espelette, Montory,
janvier 2022.*

Canaulas de uei ►
realizadas per
Gaston Espelette.

*Colliers d'aujour-
d'hui réalisés par
Gaston Espelette.*

Lo temps que brumeja, las esquiras qu'ajudan a tornar trobar las aulhas. Jean-Pierre Pouey dab l'aulhada de Danièle Gay, vath d'Anaia, seteme de 2021.

Le temps est à la brume, les cloches permettent de retrouver les brebis. Jean-Pierre Pouey avec le troupeau de Danièle Gay, vallon d'Anaye, septembre 2021.

Cotèth, escanagraulhas Un instrument de tot har, com art pastorau...
Couteau, couteau à petite lame Un instrument à tout faire, comme de l'art pastoral...

◄ Transumància d'Aspa enlà de cap tau Varetons, devath deu Pas de l'Òsca, aulhada de Jean-Pierre Pouey de Lascun, octobre de 2018.

Transhumance d'Aspe vers Barétous, sous le pas de l'Osque, troupeau de Jean-Pierre Pouey de Lescun, octobre 2018.

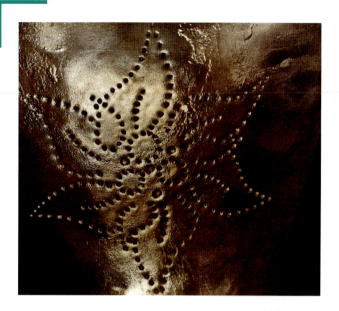

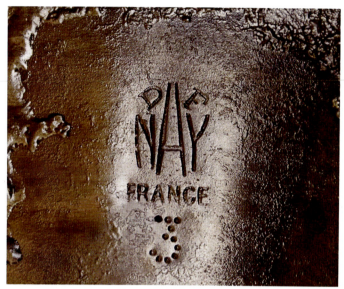

▲

Esquiras hèitas arron Nay, en çò de Daban & hilhs, hèra coneishuts per França e per delà. Un còp brazada, l'esquira qu'ei tribalhada dab lo martèth per gahar lo son.

Ici, des sonnailles fabriquées près de Nay, chez Daban & fils, très connus en France et au-delà. Après avoir été braisée, la cloche est travaillée au marteau pour trouver le son.

▶

Auta fabricacion d'esquiras en çò de Marcel Coumes d'Asson, plan coneishut dens los Pirenèus. Lo tribalh qu'ei hèit directament sus placas d'acèr.

Autre fabrication de sonnailles chez Marcel Coumes, d'Asson, bien connu dans les Pyrénées. Le travail est fait directement sur des plaques d'acier.

▼

Lo relai que passè enter pair e hilh, Jean-Bernard e Sébastien Bernatas, en baishar d'Espandèlas enlà tà Aigon en seteme de 2021... ►

Le relais est passé entre père et fils, Jean-Bernard et Sébastien Bernatas, en descendant de Spandelles vers Igon, en septembre 2021...

Batalh, sus ua barlanga, chingòla, esquèra, esquiron, tingueron, truquet, picon, sus esquiras de tota traca, agudas, cristallinas o gravas...
Battant, *sur autant de types de cloches, aïgues, cristallines ou graves...*

Pagina d'abans, aulhas a pèisher suu planèr deu Benon a l'abòr, octobre de 2014.
Page précédente, brebis au pâturage, sur le plateau du Bénou, octobre 2014.

Maserada deus cans, tribalh au corrau en çò de Jean-Louis Laborde a Sent-Vincenç, octobre de 2021.

Dressage des chiens, travail à l'enclos chez Jean-Louis Laborde à St-Vincent, octobre 2021.

Maserada deus
cans, tribalh au
camp en çò de
Jean-François
Casaux a
Aràmits,
mai de 2022.

*Dressage des
chiens, travail
au champ chez
Jean-François
Casaux à
Aramits,
mai 2022.*

Amistosar, amigalhar, amatigar, maserar Tribalh deu can com deu mèste, en comunicar dab los uelhs e los gestes autant com dab los mots, a tot doç, quan la coda ei quilhada qu'ei per lo jòc, baishada qu'ei per la concentracion suu tribalh...

Apprivoiser, adoucir, dresser *Travail du chien comme du maître, en communiquant avec les yeux et les gestes autant qu'avec les mots, tout doucement, quand la queue est dressée c'est pour le jeu, baissée c'est pour la concentration sur le travail...*

Bòrda e cortau
Grange et bergerie

Aulhada de Jean-Pierre Pouey au cortau de Lascun, deceme de 2021.
Troupeau de Jean-Pierre Pouey dans la bergerie de Lescun, décembre 2021.

◄ Cojèra a la man en
çò de Rémy Baylocq,
Vilhèras d'Aussau,
seteme de 2021.

*Tonte manuelle
chez Rémy Baylocq,
Bilhères en Ossau,
septembre 2021.*

**Aulharís, fòrças,
cisèus** Atrunas per
tirar lan e minjança.
***Ciseaux de tonte ou
d'emploi polyvalent***
*Outils pour enlever
laine et parasites.*

La cojèra que's hè uei en Biarn a l'abòr, mès que i avó ua tempora on se hesè tanben a la prima per un estiu mei leugèr. ▶

La tonte se fait aujourd'hui en Béarn à l'automne, mais il fut un temps où on la pratiquait aussi au printemps pour un été plus léger.

Surja Que la calè tirar peu tribalh de la lan, qui ei uei deishat per'mor de las mancas de mercats.
Suint *Il fallait le nettoyer pour le travail de la laine, qui est aujourd'hui abandonné par manque de débouchés.*

◄ Cojèra mecanica en çò de Loïc Darbary, Gèra-Belesten, seteme de 2021.

Tonte mécanique chez Loïc Darbary, Gère-Bélesten, septembre 021.

Escarrar, escarrada en tirar la surja deus aulharís mecanics..
Nettoyer, nettoyage *en retirant le suint des ciseaux mécaniques.*

Aràmits qu'ei l'un deus concors regionaus mei coneishut, que hestejè lo son 40au aniversari en 2022. De la soa plaça enlà l'aulhèr que mia lo can entà har passar l'aulhada peus pleishs, o la har entrar au corrau.

Aramits est un des concours régionaux le plus connu, et a fêté son 40ᵉ anniversaire en 2022. Depuis sa place le berger guide le chien pour faire passer le troupeau entre les haies, ou le faire entrer dans l'enclos.

L'ua de las atrunas màgers de l'aulhèr : lo barròt. Entà gavidar, miar, amuishar, caminar adaise pertot, a còps defene's, entà castigar jamei. ▶

Un des principaux outils du berger : le bâton. Pour conduire, guider, marcher à l'aise en tout lieu, parfois pour se défendre, jamais pour punir.

Shiular, aperar, ahupar, arrenilhar Aperar las aulhas, dar òrdis aus cans (shiular dab los dits o dab un shiulet), har lo crit deus aulhèrs pirenencs.
Siffler, appeler, pousser un cri *Appeler les brebis, donner des ordres aux chiens (siffler avec les doigts ou un sifflet), ou pousser le cri des bergers pyrénéens.*

61

◀ Au concors deu Benon, los aulhèrs que pòden seguir l'aulhada entà la miar dab lo can, agost de 2021, julhet de 2022.

Au concours du Bénou, les bergers peuvent suivre le troupeau pour le guider avec le chien, août 2021, juillet 2021. ▶

Daubuns que shiulan dab los dits a la boca, a la mòda vielha, en har modulacions especificas qui parlan au-tan plan o miélher que los mots, d'autes que prenen un shiulet qui soa tot doç, mès qui s'enten hèra luenh.

Certains sifflent avec les doigts entre les lèvres, à l'ancienne, en faisant des modulations spécifiques qui parlent autant ou mieux que les mots, d'autres prennent un sifflet qui sonne tout doucement, mais qui s'entend très loin.

Arrestiva, arrebohièca
Quan las aulhas non vòlen pas, qu'ei mauaisit de's guardar la paciéncia !
Rétive, rebelle Quand les brebis ne veulent pas, il est difficile de garder sa patience !

◄ Per delà de la sapiença deus mites, com lo d'Ercule e Pirèna, lo nom deus Pirenèus que vien tanben probable de las uscladas qui hèn necèra per entertiéner las estivas, planèr deu Benon, heurèr de 2021.
Au-delà de la sagesse des mythes, comme celui d'Hercule et Pyrène, le nom des Pyrénées vient aussi probablement des écobuages nécessaires à l'entretien des estives, plateau du Bénou, février 2021.

Enter l'abòr e la prima, l'aulhada qu'ei au cortau, e qu'ei lo temps de las anheradas. ►

Entre l'automne et le printemps, le troupeau est à la bergerie, et c'est le temps des agnelages.

◄ Pigalhat, blanc o negre, la diferéncia non destrobla pas ad arrés. Bòrda d'Artés d'Asson, noveme de 2021.

Moucheté, blanc ou noir, la différence ne gêne personne. Ferme d'Arthez d'Asson, novembre 2021.

Los còrns Las formas que son divèrsas, aquiu que s'i parlerà de « paletas », mès que i a tanben las « hochas », o... « enamoradas, », com las deu marro ! Véder au dessús.

Les cornes Les formes sont variées, ici on parlera de « palettes », mais il y a aussi les « houches », ou... les « amoureuses », comme celles du bélier ! Voir plus haut.

Capsús, mólher, har e
guardar, capvath,
mólher, har e balhar
la hartèra tot dia, en
çò de Danièle et
Henri Gaye, Lascun,
deceme de 2021.

En haut, traire, fabri-
quer et garder, en
bas, traire, fabriquer
et donner à manger
tous les jours, chez
Danièle et Henri
Gaye, Lescun, dé-
cembre 2021.

◀ Au cortau, las aulhas que son tranquillas, que m'an permetut de m'acercar tà las espiar e har quauques portrèits.

Dans la bergerie, les brebis sont tranquilles, elles m'ont permis de m'approcher pour les regarder et effectuer quelques portaits.

Autes còps hèitas dab bròc blanc, las bròcas que son uei de hèr, tostemps entà har partir lo leiton mei adaisa. Hromatgeria d'André e Florent Casassus, Gèra-Belesten, genèr de 2021. ▶

Autrefois fabriquées à partir de l'aubépine, les aiguilles sont aujourd'hui en fer, toujours pour évacuer plus facilement le petit lait, fromagerie d'André et Florent Casassus, Gère-Bélesten, janvier 2021.

◄ Hromatges dab los pes per acabar de tirar lo leiton en çò de Marie-Claire Hondagneu e Xavier Cazette, Precilhon, genèr de 2022.

Fromages avec les poids pour achever d'extraire le petit lait chez Marie-Claire Hondagneu et Xavier Cazette, Précilhon, janvier 2022.

Ensalatge, bòrda
d'Artés d'Asson,
noveme de 2021.

*Salaison du
fromage ferme
d'Arthez d'Asson,
novembre 2021.*

Quauques signets...

Bòrda d'Artés d'Asson

Hondagneu-Cazette de Precilhon

Hromatge de la bòrda - *Fromage de la ferme*

Anar o tornar, tà capsús o tà capvath, l'aulhada que seguirà tostemps. Aulhas d'André Casassus, seteme de 2021. ▶

Quelques signatures...

Bernatas d'Aigon

Cauhapé de Lascun

Casassus de Gèra-Belesten

Hromatge d'estiva - *Fromage d'estive*

Aller ou retour, pour la montagne ou la vallée, le troupeau suivra toujours. Brebis d'André Casassus, septembre 2021. ▶

E los cans...

Fanny

Obélix

Batch

Lloubette

Lami

Lucky

Coussou

Filou

Gump

Popeye

Nouck

Bruyère

Gaby

Layne

Tulipe